KB076052

나답게 아름답게

나답게 아름답게

지은이 울산대학교 국어국문학부 한국어문학전공

발 행 2023년 10월 9일
펴낸이 한건희
펴낸곳 주식회사 부크크
출판사등록 2014.07.15.(제2014-16호)
주 소 서울특별시 금천구 가산디지털1로 119 SK트윈타워 A동 305호
전 화 1670-8316
이메일 info@bookk.co.kr

ISBN 979-11-410-4675-0

www.bookk.co.kr

나답게 아름답게

울산대학교 국어국문학부
한국어문학전공 지음

BOOKK

차례

울산대학교 14호관 인문대에서
2023년 10월 5일부터 6일까지

2022년에 이어 **두 번째**입니다.

기억하시는 분이 계실지 모르겠습니다. 9월의 마지막을 향하던 어느 날, 우리는 이곳 울산대학교에서 울산에 녹아 있는 세계를 보았고, 세계에 물든 울산을 경험했습니다. 울산 시민과 함께 호흡하며 우리는 울산 시민에게 한 발짝 더 다가왔습니다. 어쩌면 거리가 멀었던 것이 아니라, 자리가 없었을 뿐인지도 모르겠습니다.

축제는 끝났습니다.
일상은 끝이 없습니다.

천막과 탁자를 경계로 나누어진 듯했던 외국인 유학생들도 울산에서 일상을 살아가고 있습니다. 그들의 일상을 들여다볼 일이 많지 않기에 어딘가 다를지도 모른다고 생각하는 게 아니었을까요?

여기, 축제의 와자글함과는 다른 모습들이 모여 있습니다. 일상에서 무엇을 보고 느꼈는지를 한글로 드러낸 그들의 작품이 있습니다.
소소해 보여도 시시할 수 없는 마음이 있습니다.

2022년에 이어 두 번째입니다.

   이번에는 중국, 베트남, 우즈베키스탄, 일본에서 온 학생들이 참여하였습니다.
   '아시아'라는 공동체를 이루는 우리가 '나는 나(我是我)'라는 사실만으로 아름다울 수 있다는 걸, 느낄 수 있었으면 합니다.

내 마음 한 장
한글에 실어

여름밤

웬 티 뜨엉 비

나답게 아름답게

둥근 달 빛나는 밤,
비 후 향기 가득한 시골의 풍경.
잔디의 속삭임,
나무들의 노래,
자연의 평온한 품 안에 안겨 있네.
별빛이 밤하늘을 수놓고,
비 내린 땅은 생기로 돌아왔네.
맑은 공기에 물든 잎사귀,
이 시골 밤은 평화로워 흐르네.

일출

찐 티 나

나답게 아름답게

일출은
어둠이 영원히 지속되지 않고
빛이 항상 나타난다는 것을 보여준다
그것은
더 나은 미래에 대한 희망과 믿음을
증명하는 것이다.

주목받는 나무 한 그루

유기월

자기 생명의 주역이 된다.

남의 인생의 구경꾼이 되지 않다.

다른 나무들과 달라도 꾸준히 성장해 나가겠다.

앞날이 험난하다는 것을 알면서도 위로 성장하도록 노력한다.

친구

유기월

나답게 아름답게

고양이 친구들, 무엇보다 소중한
묵묵히 간직한 우정의 보물 같아.
모든 순간을 함께하며 행복하게
고요하고 깊은 우정을 노래하네.

마음의 향기

유기월

일몰 직전 푸른 하늘,
마치 우리 마음처럼 고요하고 평화로워.
흰 도화지 위에 그려진 듯
그 순간의 아름다움은 언제까지나 간직하리.

빛 미 희망

유기월

숲 속 빛, 자연의 미.
숲 속 빛 번쩍여, 생명의 희망

자유

손신평

자유는 갈매기의 용기이다.

역풍속에서 날개를 펴고 용감하게 전진하며

자유, 이것이 우리가 추구하는 것이다

암흑속에서 광명을 찾아 용감하게 전진하며

초가을

유기월

초가을의 호수에 비치는
맑고 푸른 물결은 아름답다.
바람에 춤추는 나뭇잎은 가을의 노래
청명한 하늘 아래 우리의 낙원이다.

폭죽전야

이노우에 히나

나답게 아름답게

언제까지나 기억해 두려고 생각되는 경치
그때 즐거웠던 시시한 이야기나 냄새 웃음소리는
순식간에 금방 지나가지만
그때를 조금이라도 기억할 수 있도록 기억하자!

내 마음 한 장 한글에 실어

마음속을 헤매다

레 티 냔

나답게 아름답게

길 한복판, 인적이 드문 곳
갑자기 속이 텅 빈 느낌
누가 나를 찾을까?
"괜찮아."
외로움이 성급한 선택보다 낫다
슬퍼하지 마세요
먼저 자신을 사랑하세요

늦어도 그 사람은 오겠지
행복은 늦게 오니까…

그리워

쩐 타오 반

나답게 아름답게

하늘을 보면 그리운 사람이 보고 싶다.
그리운 사람이 보고 싶을 때 하늘을 본다.

가을

란희망

나답게 아름답게

가을이네…
아주 아름답고 예쁘네
춥지만 좋네
가을이네.

추억

하마노 나나

시작의 설렘은 이제 없다.
시계 바늘이 끝을 알린다.
마음의 앨범이 열리면
추억이 음악을 연주한다.

하늘

웬 티 오안

피곤한 일상 끝에
하늘을 바라보면
하늘은 넓고 높아,
모든 피곤을 안아 줄 거야

울 학교
구석구석

짝다리

내가 걱정되는 건가요
내가 짊어진 것 때문인가요
생각해 보세요
내가 삐딱하기 때문일까요
내가 짊어진 것 때문일까요

꽃

비 내리자
거품 꽃 피었다
떨어지면서 핀 꽃
아무도 꺾지 않을 꽃
그래도 꽃

우리 학교 구석구석

그렇구나

우리가 의지하던
의자도
서로를 의지하고
있었구나

다 타고 남은 자리

후두두두둑
떨어뜨리고 가버렸네
다 타고 남은 것들
여름철
노란 낙엽들

울 학교 구석구석

버섯이 버젓이

여기는
"앉아"라고 말하는 곳입니다
그렇다고
안 자라는 곳은 아닙니다

우리 학교 구석구석

짧은 가을이 저물어 가겠지요.

세 번째 가을을 기다립니다.

그때까지 잘 지내요, **우리**.

울산대학교 국어국문학부 한국어문학전공의 책

2021년 12월.
울산대학교   국어국문학부
한국어문학전공   재학생들이
쓴 글을 모은 책입니다.

2022년 10월.
울산대학교   국어국문학부
한국어문학전공   재학생들의
디카시 작품을 담은 작품집
입니다.